La Princesse MASQUÉE

Shannon Hale & Dean Hale

La Princesse MASQUÉE

TOME 1

Illustré par LeUyen Pham

Traduit de l'anglais (États-Unis)
par Pia Boisbourdain

hachette
ROMANS

Chapitre 1

La princesse Magnolia dégustait un chocolat chaud et des gâteaux avec la duchesse Tour de Tignasse. Le chocolat était bien chaud et les gâteaux délicieux. Un petit vent tiède entrait par la fenêtre.

— Comme c'est gentil d'être venue me voir! dit la princesse Magnolia. Je ne m'y attendais pas du tout.

— J'adore rendre des visites improvisées, répliqua la duchesse Tour de Tignasse. Je découvre toujours des secrets.

— Des secrets ? s'étonna la princesse.

— Oui, des secrets, confirma la duchesse. Des choses qui font désordre, des squelettes dans les placards.

— Dans les placards ? répéta la princesse.

Le chocolat chaud lui brûla les lèvres. Le vent lui envoya soudain des boucles dans la figure. Elle ne s'amusait vraiment plus.

— Vous semblez si raffinée, si parfaite, poursuivit la duchesse.

Elle se pencha en avant et chuchota :

— Mais tout le monde a un secret…

D'un revers de la main, la princesse Magnolia épousseta les miettes de sa robe rose à volants. Pourvu qu'elle n'ait pas l'air nerveuse ! Parce qu'elle avait effectivement un secret. Un énorme secret.

Un secret qu'il fallait que personne ne découvre. Et surtout pas cette duchesse qui fourrait son nez partout.

Juste à ce moment-là, la pierre qui brillait à son doigt sonna.

« L'alarme à monstres ! pensa-t-elle. Oh non, pas maintenant ! »

DRRRING!   DRRRING!

— Qu'est-ce que c'est que ce bruit ? demanda la duchesse Tour de Tignasse.

— Un oiseau, peut-être ? hasarda la princesse Magnolia.

Malheureusement, la sonnerie de sa bague ressemblait à tout sauf au chant d'un oiseau.

— Drôle de volatile, dit la duchesse.

— Il est peut-être malade, je devrais aller voir, suggéra la princesse en se dirigeant vers la porte.

Ses souliers de verre faisaient *cling, cling, cling, cling!* sur le sol.

— Vous allez me laisser? s'étonna la duchesse.

— Je reviens tout de suite! lança la princesse.

Elle sourit aimablement, ferma la porte doucement.

Et aussitôt elle se mit à courir.

Chapitre 2

Les princesses ne courent pas.

Les princesses ne cachent pas leurs robes roses à volants dans des placards à balais.

Les princesses ne portent pas de vêtements noirs ni de masque.

Et surtout, les princesses ne glissent pas dans des conduits secrets et ne sautent pas par-dessus les murs des châteaux.

Mais la plupart des princesses ne vivent pas à proximité du Pays des Monstres.

Arrêter les monstres n'était pas un travail fait pour la princesse Magnolia, si raffinée et si parfaite. Mais, heureusement, la princesse avait un secret.

En secret, elle était la Princesse Masquée.

Et combattre les monstres était un travail parfait pour elle.

Chapitre 3

Dans la cour du château, Culottalenvers grignotait une pomme. Il balançait sa queue étincelante d'un côté puis de l'autre. Il sautillait sur ses sabots dorés. De temps en temps, il jetait en avant sa tête où se dressait une corne.

Culottalenvers avait tout d'une licorne.

Mais en était-ce vraiment une ?

La pierre qui brillait sous son sabot sonna. L'alarme à monstres!

Il fit trois petits pas délicats vers le mur du château.

Il regarda à droite. Il regarda à gauche.

Personne dans les parages. Alors Culottalenvers s'engouffra dans un passage secret.

Sa corne disparut. Ses sabots dorés glissèrent sur le côté.

Sa crinière et sa queue brillantes s'envolèrent.

Quand il se retrouva à l'air libre, il n'était plus Culottalenvers la licorne. Il était Noirro, le fidèle poney de la Princesse Masquée.

Justement, la Princesse Masquée volait au-dessus du mur. Elle atterrit sur le dos de Noirro.

— Galope, Noirro, galope! lança-t-elle. Au pré des chèvres, vite! Il y a une duchesse trop curieuse dans le château!

Ils filèrent dans la forêt. Les oiseaux s'envolèrent sur leur passage en lançant des cris perçants.

Leur chant ressemblait à tout sauf à la sonnerie d'une bague.

Chapitre 4

Le gros monstre bleu avait faim.

Le Pays des Monstres était rempli de monstres. Il y en avait des petits. Et aussi des gros.
Et même des très gros, plus gros que le gros
monstre bleu. C'étaient eux qui mangeaient
tout ce qu'il y avait de bon.

Par un trou dans le plafond, une odeur de chèvre chatouilla les narines du gros monstre bleu. Des chèvres poilues. Des chèvres dodues. De délicieuses chèvres bien fraîches.

Le gros monstre bleu se mit à saliver.

Est-ce qu'il n'était pas interdit de sortir par le trou ? Si, bien sûr. Mais le gros monstre bleu ne se rappelait plus pourquoi.

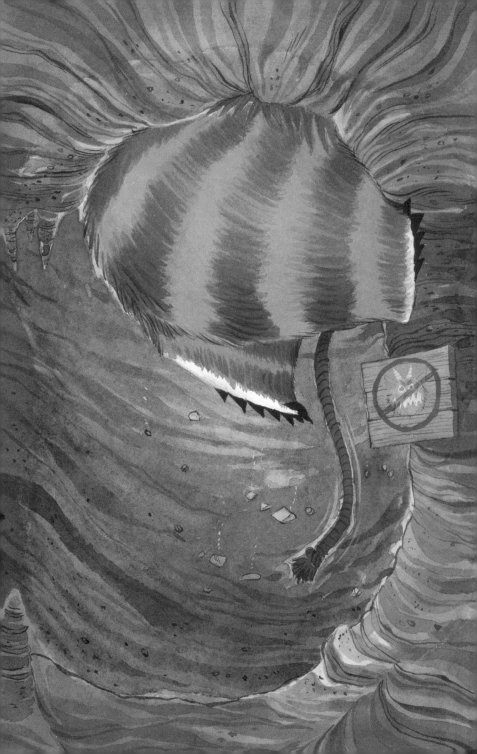

Peut-être parce que le soleil brillait trop fort dehors? Parce qu'un petit vent froid désagréable soufflait?

Non, il y avait une autre raison…

De toute façon, le gros monstre bleu avait trop faim pour s'en souvenir. Alors, il grimpa par le trou.

Chapitre 5

Popotin, le gardien de chèvres, n'était pas mi-chèvre, mi-garçon. Ç'aurait pu être intéressant. Mais Popotin était un garçon ordinaire qui s'occupait des chèvres.

Il les aimait beaucoup, avec leurs yeux couleur miel, leurs oreilles toutes douces et leur façon de renifler bruyamment.

Alors, bien sûr, Popotin n'aimait pas du tout les monstres mangeurs de chèvres.

Un bras bleu surgit du trou.

— Oh, non! Encore un monstre! s'exclama Popotin.

Il s'empara de son bâton.

Un monstre bleu fit surface.

Un gros monstre bleu qui poussa un énorme rugissement.

Popotin laissa tomber son bâton. Ses genoux s'entrechoquèrent.

— Au… Au… Au secours, gémit-il.

C'est alors qu'on entendit un poney hennir au loin.

Chapitre 6

La Princesse Masquée traversa le champ au grand galop. Un gros monstre bleu tenait une chèvre prisonnière dans chacune de ses pattes. Il ouvrait la gueule le plus grand possible. C'est-à-dire vraiment très grand.

— Pas si vite! lança la Princesse Masquée.

Noirro se dirigeait à toute allure vers un arbre. La Princesse Masquée attrapa une branche, se balança par-dessus et atterrit dans l'arbre.

— Qu'est-ce que tu viens faire ici? demanda-t-elle au monstre.

— MANGER CHÈVRES, beugla le gros monstre bleu.

— Tu n'as pas le droit de manger les chèvres, lui rappela la Princesse Masquée.

— MANGER CHÈVRES, brailla-t-il une nouvelle fois.

— Tu n'as *pas* le droit de manger les chèvres, répéta la Princesse Masquée. Tu te comportes vraiment très mal, tu sais?

Le gros monstre bleu posa les deux chèvres à
côté d'un petit arbre qu'il arracha d'un coup sec.

Alors, la Princesse Masquée sauta sur l'herbe
en faisant un saut périlleux arrière. Elle actionna
un bouton sur son sceptre, qui se changea en
bâton.

Le gros monstre bleu brandit son arme en grognant. Mais l'arbre se heurta au bâton de la Princesse Masquée.

La Princesse Masquée et le gros monstre bleu
engagèrent le combat.

BIM !

PIF !

BOOM !

BLING.

BLING !

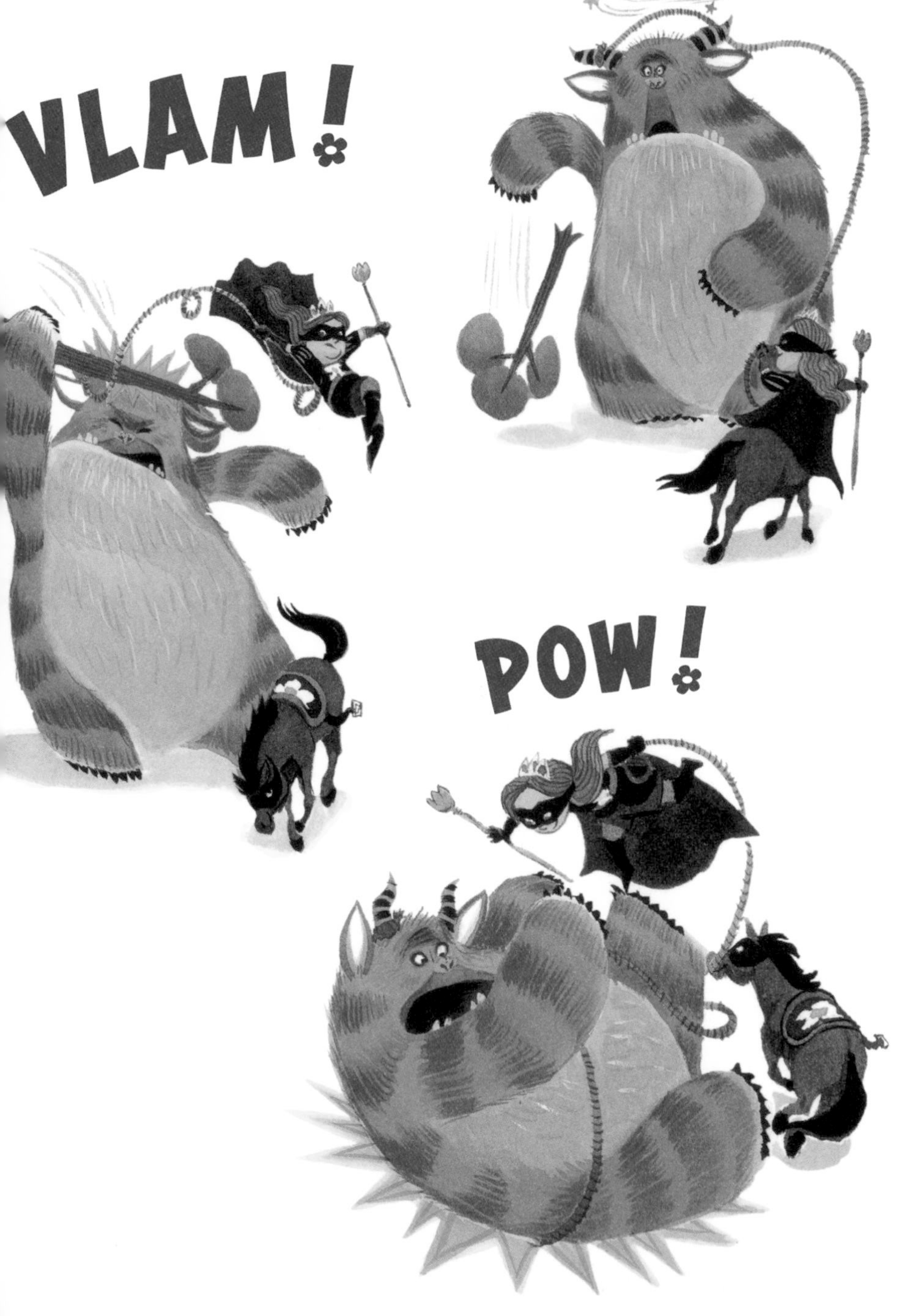
VLAM!
POW!

Avec un peu de chance, la bataille serait rapide. La duchesse Tour de Tignasse se trouvait toujours dans le château de la Princesse Magnolia. Et le château cachait un tas de secrets. En particulier le placard à balais. La Princesse Masquée espérait très fort que la duchesse ne fouine pas partout.

Chapitre 7

Mais la duchesse Tour de Tignasse était bel et bien en train de fouiner.

Le donjon dans lequel elle se trouvait était irréprochable. Les vitres des fenêtres brillaient de tous leurs feux. Les fauteuils étaient aussi moelleux que des coussins. C'était presque *trop* parfait. Il y avait forcément quelque chose qui clochait quelque part.

La duchesse Tour de Tignasse ouvrit un placard. Il était rempli de robes roses à volants. Parfaites pour une princesse.

Elle fouilla dans les tiroirs. Ils étaient pleins de gants blancs, de serre-tête à fleurs, de mouchoirs brodés et de bracelets en perles de verre.

Vraiment parfaits pour une princesse.

— Saperlipopette ! s'exclama la duchesse. Personne ne peut être aussi parfait.

La duchesse tenait absolument à découvrir un secret dans le château de la princesse Magnolia. Et elle le retournerait de fond en comble s'il le fallait.

Chapitre 8

Popotin, le gardien de chèvres, était assis sur une souche d'arbre. Il avait toujours aimé regarder la Princesse Masquée faire ses prises de ninja. Mais ce jour-là, pour la première fois, quelque chose attira son attention.

La Princesse Masquée lui rappelait la princesse Magnolia. Sans son costume, elle lui ressemblerait vraiment beaucoup.

La Princesse Masquée faisait la même taille que Popotin. Tout comme la princesse Magnolia.

La Princesse Masquée avait les yeux couleur miel. Tout comme la princesse Magnolia.

Est-ce que les deux princesses pouvaient être une seule et unique personne ?

Pourtant, la princesse Magnolia portait des souliers de verre. La princesse Magnolia avait peur des escargots. La princesse Magnolia éternuait quand il y avait trop de lumière.

À ce moment-là, justement, la Princesse
Masquée saucissonnait un monstre.

Popotin éclata de rire. Il avait beaucoup trop d'imagination ! Alors il piocha dans son carton de pop-corn en attendant la fin du combat et le moment où il pourrait applaudir.

Chapitre 9

La duchesse Tour de Tignasse plongea la tête sous la table. Même pas l'ombre d'un chewing-gum! La princesse Magnolia était-elle donc aussi parfaite qu'elle le paraissait? Impossible. Tout le monde a des secrets. Et la duchesse finirait bien par trouver quelque chose de louche.

Elle quitta la pièce pour aller inspecter la salle du trône.

Puis elle se rendit dans la salle de bal.

Ensuite, elle explora la cuisine, où elle fourra son nez partout, même dans la boîte à cookies. Tout était absolument parfait.

Enfin, elle remarqua un placard à balais. Quelque chose était coincé sous la porte. Elle tira dessus.

C'était une paire de collants. Une paire de collants noirs comme du charbon.

— Aaah ! dit la duchesse.

Des collants noirs ! Tout le monde sait que les princesses ne portent pas de noir. La princesse Magnolia avait donc bel et bien un secret !

L'air renfrogné de la duchesse se changea en un sourire en coin.

Chapitre 10

La Princesse Masquée essayait de ne pas trop penser à la duchesse indiscrète qui l'attendait dans son château. Après tout, elle était occupée à se battre contre un gros monstre bleu.

Un énorme monstre. Très lourd. Qu'elle avait réussi à ligoter comme un saucisson. Mais qu'elle était incapable de pousser jusqu'à l'entrée du Pays des Monstres.

— Retourne dans ce trou ! ordonna-t-elle.

— GRRR ! répliqua le gros monstre bleu.

— Sois sage et obéis, vilain monstre ! insista la Princesse Masquée.

— GRRRRRRR ! rugit le gros monstre bleu.

La Princesse Masquée soupira. Puis elle haussa un sourcil.

— S'il te plaît, dit-elle.

PAYS
DES MONSTRES

Alors, le gros monstre bleu soupira à son tour. Et roula jusqu'au trou où il disparut.

Popotin applaudit.

La Princesse Masquée fit une révérence.

— Merci, mon ami, dit-elle. À la prochaine !

Elle tapota la tête d'une des chèvres avant de sauter sur le dos de Noirro. Tous deux se dirigèrent au grand galop vers la forêt.

Elle devait maintenant rejoindre la duchesse Tour de Tignasse au plus vite. Pourvu qu'elle n'arrive pas trop tard !

Chapitre 11

Le gros monstre bleu atterrit sur le sol du Pays des Monstres avec un grand *pouf!* Il mâchouilla la corde qui le ligotait. Elle était délicieuse. Mais pas autant qu'une chèvre bien dodue.

Il était interdit de grimper hors du trou. Maintenant, il se souvenait pourquoi.

Le soleil était vraiment éblouissant à l'extérieur. L'air était vraiment très frais. Mais ça n'avait rien à voir avec ça.

Les monstres ne devaient pas grimper hors du trou à cause de la Princesse Masquée. Parce qu'elle ne laissait pas les monstres manger les chèvres.

Le gros monstre bleu pensa un instant à rappeler le règlement aux autres monstres. Puis il tomba sur une belle pile d'ongles de pied.

— MIAM ! s'exclama-t-il.
Et il oublia la Princesse Masquée.

Chapitre 12

Popotin ramena ses chèvres chez elles en sifflotant. C'était une bonne journée. Aucune d'entre elles n'avait été dévorée.

Tout ça grâce à la Princesse Masquée.

Il aurait bien voulu l'aider. Mais tout le monde sait que les gardiens de chèvres ne combattent pas les monstres.

Il repensa à la ressemblance qu'il avait remarquée entre la princesse Magnolia et la Princesse Masquée. Et si elles ne faisaient qu'une? Quel déguisement incroyable ce serait! Personne ne suspecterait une princesse qui portait des souliers de verre d'être la Princesse Masquée.

Mais, bien sûr, c'était son imagination débordante qui lui jouait des tours.

Si ses chèvres se dressaient sur leurs sabots arrière, elles feraient la même taille que lui. Tout comme la Princesse Masquée.

Ses chèvres avaient les yeux couleur miel. Tout comme la Princesse Masquée. (Mais il devait bien admettre qu'aucune de ses chèvres ne portait de couronne.)

Une chèvre aurait très bien pu se cacher derrière le costume de la Princesse Masquée! Personne ne suspecterait une chèvre.

Et personne non plus ne se méfierait d'un gardien de chèvres.

Soudain Popotin eut une idée.

Chapitre 13

Popotin sourit en donnant à manger à ses chèvres. Il sourit en leur enfilant leurs chemises de nuit. Et il souriait encore quand il leur colla un bisou sur le front pour leur dire bonne nuit. Puis Popotin se mit au travail.

Les gardiens de chèvres n'ont pas d'idées soudaines.

Les gardiens de chèvres ne se confectionnent pas de masques ni de capes avec de vieilles couvertures.

Et surtout, les gardiens de chèvres ne se fabriquent pas d'alarmes à monstres avec de la corde et les cloches de leurs chèvres.

Mais la plupart des gardiens de chèvres ne cherchent pas à devenir un Vengeur Masqué.

Popotin s'entraînerait dur. Et peut-être qu'un jour le Vengeur Masqué combattrait aux côtés de la Princesse Masquée. Les vilains monstres n'auraient qu'à bien se tenir !

Chapitre 14

La Princesse Masquée sauta par-dessus le mur du château. Puis elle s'engouffra dans le conduit secret. Le remonter était beaucoup plus long que le descendre.

Elle rencontra trois araignées. Plus deux chauves-souris. Et, pire, un escargot très culotté. Mais la Princesse Masquée n'avait pas peur.

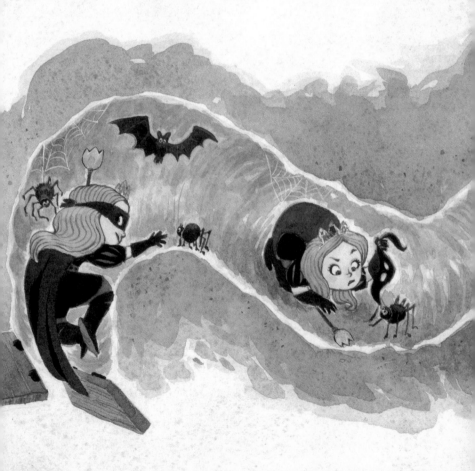

Le conduit débouchait dans le placard à balais.
Quand la princesse en sortit, elle n'était plus
la Princesse Masquée.

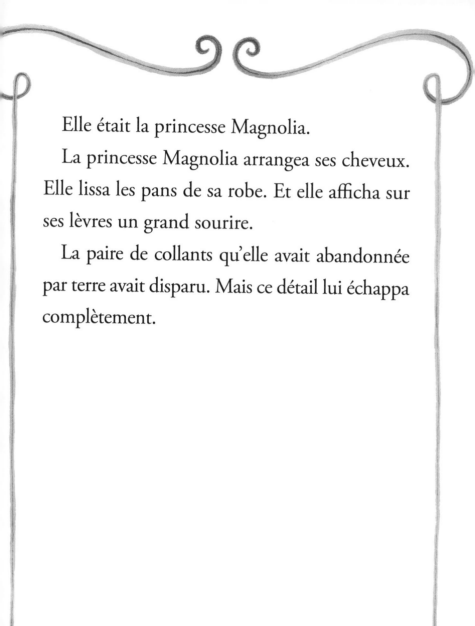

Elle était la princesse Magnolia.

La princesse Magnolia arrangea ses cheveux. Elle lissa les pans de sa robe. Et elle afficha sur ses lèvres un grand sourire.

La paire de collants qu'elle avait abandonnée par terre avait disparu. Mais ce détail lui échappa complètement.

Chapitre 15

La princesse Magnolia pénétra à petits pas délicats dans la salle où elle avait laissé la duchesse Tour de Tignasse.

— Je suis vraiment désolée de vous avoir fait attendre, déclara-t-elle. Les oiseaux vont bien. Ils gazouillent tous correctement.

La duchesse Tour de Tignasse avala une longue gorgée de chocolat froid. Puis elle sourit.

— J'ai inspecté le château pendant votre absence, annonça-t-elle.

La princesse Magnolia se figea.

— Vraiment ?

— Mm-hm, confirma la duchesse. Et j'ai découvert quelque chose dans le placard à balais.

La princesse Magnolia déglutit.

— Vraiment ? répéta-t-elle.

— Oui, répondit la duchesse. Ces collants noirs. Je connais votre secret !

La princesse Magnolia resta un instant bouche bée.

— Vraiment ? demanda-t-elle une nouvelle fois.

— Princesse Magnolia, répondit la duchesse, ces collants sont tellement sales qu'ils sont devenus noirs comme du charbon ! Vous devriez vous dépêcher de les laver. Tout le monde sait que les princesses ne portent pas de noir.

— Bien sûr que non ! s'empressa d'affirmer la princesse Magnolia. Vous avez tout à fait raison !

Puis elle sourit. Elle connaissait au moins une princesse qui portait du noir.

Mais ça resterait son secret !

DÉCOUVRE LES LIVRES
DE LA COLLECTION

JUNIOR

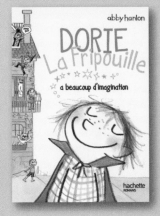

PAPIER À BASE DE
FIBRES CERTIFIÉES

[⊟] hachette s'engage pour
l'environnement en réduisant
l'empreinte carbone de ses livres.
Celle de cet exemplaire est de :
450 g éq. CO₂
Rendez-vous sur
www.hachette-durable.fr

Pour l'éditeur, le principe est d'utiliser des papiers composés de fibres naturelles, renouvelables, recyclables et fabriquées à partir de bois issus de forêts qui adoptent un système d'aménagement durable. En outre, l'éditeur attend de ses fournisseurs de papier qu'ils s'inscrivent dans une démarche de certification environnementale reconnue.

Dépôt légal 1ʳᵉ publication : novembre 2015
Imprimé en Espagne par ESTELLA
16-3339-5/01 – ISBN 978-2-01-225676-7
Dépôt légal : novembre 2015
*Loi n° 49-956 du 16 juillet 1949 sur les publications
destinées à la jeunesse.*